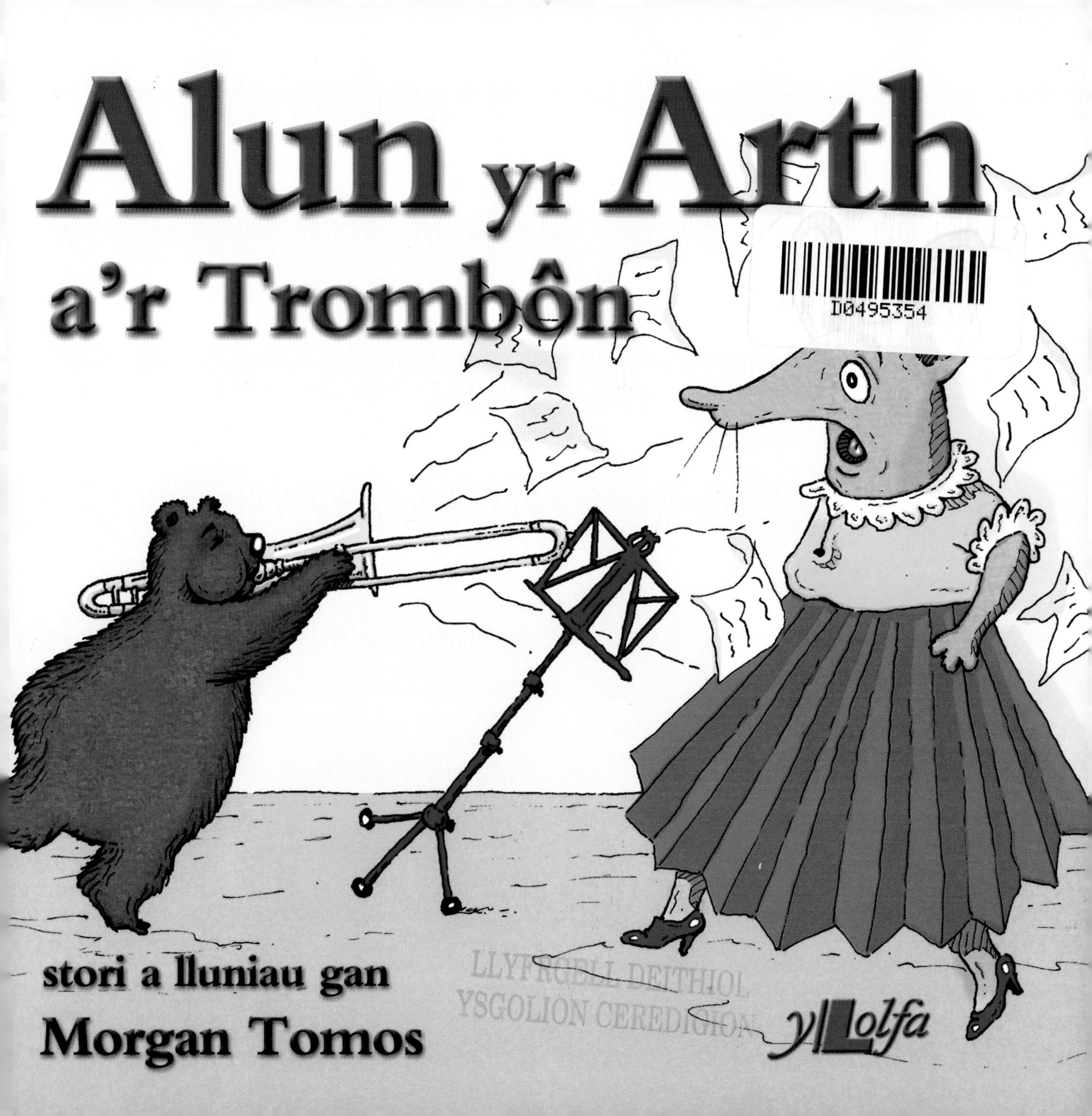
Alun yr Arth
a'r Trombôn
stori a lluniau gan
Morgan Tomos
y Lolfa
D0495354
LLYFRGELL DEITHIOL
YSGOLION CEREDIGION

i Robin a Carwyn

Cyfres Alun yr Arth, rhif 8

Argraffiad cyntaf: 2007

Dymuna'r cyhoeddwyr gydnabod cymorth ariannol Cyngor Llyfrau Cymru

ISBN: 086243994 9
ISBN-13: 9780862439941

Cyhoeddwyd ac argraffwyd yng Nghymru gan:
Y Lolfa Cyf., Talybont, Ceredigion SY24 5AP
e-bost ylolfa@ylolfa.com
www.ylolfa.com
ffôn +44 (0)1970 832 304
ffacs 832 782

Roedd Alun yr Arth wrth ei fodd yn chwarae'r trombôn. Hoffai'r sŵn mawr roedd yn ei greu wrth iddo chwythu i mewn i'r offeryn.

PWARP!!!

Roedd Alun yn chwarae'r trombôn yn y bore...

... ac yn y prynhawn. **PWARP!!!**

Ond doedd Alun ddim yn mwynhau chwarae'r trombôn yn yr ysgol. Roedd ymarfer y trombôn go iawn yn ddiflas.

"Twyt ti ddim wedi bod yn ymarfer, naddo Alun?" meddai Mrs Cerdd yn ddig. Yn sydyn, chwythodd Alun nerth ei ben...

PWARP!!!

"A-A-A-A-A-A-A-A-A-A-A!!!"

gwaeddodd Mrs Cerdd.

Chwythodd y sgript cerddoriaeth i'r awyr...

... ac allan drwy'r ffenestr agored. I lawr...

... ac i lawr cyn glanio...

... yn y mwd.

“Alun!” dwrdiodd Mrs Cerdd,
“Rwyt ti’n ddrwg iawn.”

“Os wnei di rywbeth fel’na eto, mi fydda i’n cymryd y trombôn oddi arnat ti!”

Ond roedd Alun yn rhy hoff o'r sŵn PWARP...

Un diwrnod, wrth ymarfer yn yr ysgol, gwelodd Alun ei gyfle am hwyl.

Roedd Mrs Cerdd yn plygu i roi sylw i'r delyn.

PWARP!!!

Gwenodd Alun yn ddiniwed, ond nid oedd Mrs Cerdd yn hapus o gwbl. Roedd y delyn yn rhacs.

“Rwyt ti wedi sbwylio hwyl pawb!” gwaeddodd. “Gyda Chyngerdd Mawr yr Ysgol cyn hir mae’n rhaid i ti siapio, Alun yr Arth.”

Roedd Alun yn difaru. Nid oedd eisiau sbwylio hwyl pawb arall. Penderfynodd gallio a chwarae'r trombôn yn iawn ar gyfer Cyngerdd Mawr yr Ysgol.

Bu Alun yn ymarfer yn galed o hynny ymlaen. Ac yn wir roedd yn mwynhau dysgu'r nodau E, F, G, A, B, C, D a chreu sŵn da ar ei drombôn.

"Da iawn ti, Alun," meddai Mrs Cerdd.

Roedd Alun yn falch iawn ac yn edrych ymlaen at chwarae yn y gerddorfa yng Nghyngerdd Mawr yr Ysgol.

Daeth noson y cyngerdd. Roedd Alun a'i ffrindiau ar y llwyfan gyda'u hofferynnau.

"Croeso bawb," meddai'r Prifathro wrth y gynulleidfa. "Dyma'r gerddorfa sydd am roi noson o adloniant i ni yng Nghyngerdd Mawr yr Ysgol."

Roedd y neuadd yn orlawn o rieni, i gyd yn edrych ymlaen yn fawr iawn at y cyngerdd.

Roedd y Cyngerdd Mawr ar fin cychwyn. Cododd Alun ei drombôn. Ond...

... daeth blaen y trombôn i ffwrdd.

Plygodd Alun i godi'r darn.
Ond...

... baglodd Alun a saethu'n
ei flaen.

Disgynnodd Alun drwy'r delyn.

Roedd Alun wedi dinistrio Cyngerdd Mawr yr Ysgol. Roedd Mrs Cerdd yn flin ond roedd pawb arall yn deall mai damwain oedd y cyfan.

Serch hynny, penderfynodd Alun roi'r ffidil yn y to a...

î-î-î-î-î-î-î-î-î-î-î-î-î-î-î-î-î-î-î-î!

... dechrau chwarae'r fiolín.

Mynnwch lyfrau eraill y gyfres:

£2.95 yn unig

Hefyd o'r Lolfa: cyfres wreiddiol a phoblogaidd i blant 5-7 oed:
Llyfrau Llawen

Llyfrau llawn lliw, llawn hwyl, llawn helynt!
£4.95 yr un, clawr caled
£3.95 clawr meddal

Am restr gyflawn o'n llyfrau plant (a llyfrau eraill) mynnwch gopi o'n catalog – neu hwyliwch i **www.ylolfa.com** a phrynwch eich llyfrau ar-lein!